MICHELANGIOLO

LES SCULPTURES
LAS ESCULTURAS

THE SCULPTURES
DIE SKULPTUREN

DEL TURCO EDITORE ROMA

Les photographies des planches No.: 2; 3; 4; 5; 6; 7; 8; 9; 10; 14; 15; 16; 17; 21; 27; 28; 29; 31; 34; 36; 37; 52; 53; 57; 58; 60; 63; 69; 70; 74; 76; 80; ont été prises sous la direction personnelle du Professeur Charles de Tolnay, Auteur du volume « Michelange » publié par Del Turco Editore (Florence 1951, 302 pages; 402 planches; 8.000 lires).

C'est à lui que sont dus les excellents résultats de ces illustrations dans lesquelles on a pris le plus grand soin d'interpréter l'oeuvre de l'Artiste et nous lui sommes gré de l'autorisation qu'il nous a concédé.

Las fotografías de las tablas No.: 2; 3; 4; 5; 6; 7; 8; 9; 10; 14; 15; 16; 17; 21; 27; 28; 29; 31; 34; 36; 37; 52; 53; 57; 58; 60; 63; 69; 70; 74; 76; 80; han sido efectuadas bajo la dirección personal del Profesor Charles de Tolnay, Autor del volumen « Michelangiolo » publicado por esta Casa Editorial (Florencia, 1951, pag. 302; tab. 402; L. 8.000).

Es a él que se deben los excelentes resultados de estas ilustraciones en las que se ha puesto el mayor cuidado para la interpretación de la obra del Artista: y le estamos particularmente agradecidos por la autorización que nos fué concedida.

The photographs for plates nos.: 2; 3; 4; 5; 6; 7; 8; 9; 10; 14; 15; 16; 17; 21; 27; 28; 29; 31; 34; 36; 37; 52; 53; 57; 58; 60; 63; 69; 70; 74; 76; 80; were taken under the personal direction of Professor Charles de Tolnay, author of « Michelangiolo » published by us in 1951 (Florence, 302 pages; 402 plates; L. 8.000).

The excellent results which have been achieved in these illustrations, where every effort has been made to interpret the work of the artist, are due to him and we are particularly grateful for his permission to reproduce them.

Die Aufnahmen der Bildtafeln Nr.: 2; 3; 4; 5; 6; 7; 8; 9; 10; 14; 15; 16; 17; 21; 27; 28; 29; 31; 34; 36; 37; 52; 53; 57; 58; 60; 63; 69; 70; 74; 76; 80; wurden unter der persönlichen Leitung des Herrn Prof. Charles de Tolnay ausgeführt, der auch das von unserem Verlag herausgebrachte Buch « Michelangiolo » (Florenz 1951, 302 Seiten; 402 Abbildungen; Lire 8.000) verfasst hat.

Herr Prof. de Tolnay ist das gute Gelingen dieser Abbildungen zu verdanken, bei denen jede erdenkliche Sorgfalt auf die Wiedergabe der Werke im Sinne des Künstlers gelegt wurde. Vor allem möchten wir ihm an dieser Stelle für die Genehmigung zur Veröffentlichung danken.

Fotografie: Alinari; Anderson; Archives Photographiques du Louvre; Brogi; Cipriani; Kriegbaum; Museo dell'Ermitage di Leningrado; Tolnay; Tolnay-Brogi; Tolnay-Carboni; Tolnay-Cipriani; Tolnay-Croci; Tolnay-Gevaert; Tolnay-Macbeth.

(*IV Edizione*)

Printed in Italy

Tipografia " L'Impronta " S. p. A. - Firenze

TABLE DES ILLUSTRATIONS

INDICE DE LAS ILUSTRACIONES

TABLE OF ILLUSTRATIONS

ILLUSTRATIONSVERZEICHNIS

NOTES SUR LA VIE DE MICHEL-ANGE

Michel-Ange naquit le 6 Mars 1475 à Caprese en Toscane. Son père était podestat de Caprese et de Chiusi. Sa mère mourut quand Michel-Ange avait six ans. Son enfance fut solitaire et, dès son jeune âge, la tristesse prit possession de son âme.

A l'école il ne s'occupait que de dessin. Pour cela il fut mal vu et souvent battu par son père. Mais son obstination l'emporta et à 13 ans il entra, comme apprenti, dans l'atelier de Ghirlandaio, d'où, au bout d'un an, il passa à l'école d'art libre dirigée par Bertoldo di Giovanni, élève de Donatello.

Laurent le Magnifique l'admit à sa cour et dans sa maison. Michel-Ange se trouva ainsi, à 15 ans, au milieu des grands humanistes de la Renaissance. Il sculpta le *Combat des Centaures et des Lapithes* et la *Madone à l'Escalier*.

Fig. 22 21

En 1490 Savonarole terrifia Florence par ses prédications sur l'Apocalypse. Le jeune Michel-Ange n'échappa point à l'épouvante et, prévoyant la chute des Médicis, s'enfuit, en 1494, de Florence, où il ne revint qu'après la consolidation de la république de Savonarole.

Il n'y resta pas longtemps. En 1496 il partit pour Rome et y vécut 5 ans, au cours desquels il sculpta le *Bacchus* et la *Pietà* de St. Pierre.

27/31 73/76

Il revint à Florence en 1501 et y fit un séjour de 4 ans; il sculpta le *David*, la *Madone de Bruges* et executa le grand tableau rond de la *Sainte-Famille* des Offices.

6/11 4/5

En 1505 Michel-Ange fut appelé à Rome par le pape Jules II della Rovere qui lui commanda un superbe tombeau. Le pape, tout d'abord, suivit son travail de très près, mais bientôt il décida de le suspendre pour faire reconstruire St. Pierre. Michel-Ange, furieux et déçu, partit pour Florence, où il fit son *saint Mathieu*.

12

En 1506 il rencontra le pape à Bologne et se reconcilia avec lui.

Michel-Ange fût appelé, en 1508, à Rome par Jules II pour peindre la voûte de la *Chapelle Sixtine*. Ce travail gigantesque dura quatre ans.

La Sixtine terminée et Jules II étant mort, Michel-Ange revint à Florence, où il fit les *Esclaves*, actuellement au Louvre, et le *Moïse* de l'église de San Pietro in Vincoli, à Rome.

63/64 67/70

Le nouveau pape, Léon X de Médicis, lui offrit d'élever la façade de l'église florentine de St. Laurent. Mais, en 1519, Michel-Ange interrompit sa construction pour reprendre celle du tombeau de Jules II et sculpta, en outre, le *Christ* de l'église de Santa Maria sopra Minerva à Rome.

65

En 1520 le pape Clément VII de Médicis lui ordonna la construction de la *Chapelle* et des *Tombeaux des Médicis* et, par la suite, celle de la *Bibliothèque Laurentienne*.

36/58

Les troubles politiques qui suivirent le sac de Rome (6 Mai 1527) obligèrent Michel-Ange à interrompre tous ses travaux qu'il ne reprit qu'en 1530 en sculptant la *Victoire* et les *Esclaves* inachevés, aujourd'hui à la Galerie de l'Académie à Florence.

35 14/17

En 1534 Michel-Ange revint à Rome et y resta jusqu'à sa mort. Il y était retenu par son amitié avec Tommaso dei Cavalieri et par son amour pour Vittoria Colonna, dont témoignent les poèmes qu'il a dédiés à la noble dame. Il y fréquenta aussi les meilleurs esprits de son temps.

Le pape Paul III Farnèse, lui commanda, en 1535, le *Jugement dernier* qui est la plus grande fresque de la Sixtine. Michel-Ange y travailla de 1536 à 1541.

Après avoir terminé la fresque, Michel-Ange acheva, en 1542, le *Tombeau de Jules II* et peignit, sur l'ordre du pape, les fresques de la *Chapelle Pauline*, qu'il termina en 1550. Vers la fin de sa vie, il s'occupa surtout de travaux d'architecture; il construisit la *Coupole de St-Pierre*, commença les travaux de transformation du Capitole (achevés bien plus tard, après sa mort) et termina la *façade du Palais Farnèse*.

66/72

Malgré son grand âge et sa mauvaise santé, il ne cessa jamais de travailler. Il passa toute la journée du 12 Février 1564 à apporter des retouches à la *Pietà Rondanini*. Cette oeuvre resta inachevée. Le grand vieillard mourut le 18 Février 1564, à l'âge de 89 ans.

61/62

Les reproductions sont disposées selon l'ordre alphabétique des Villes, Musées, Galeries et Eglises où se trouvent les originaux.

NOTICIAS SOBRE LA VIDA DE MIGUEL ANGEL

Miguel Angel nació en Caprese, en la región de Toscana, el 6 de marzo de 1475. Su padre era alcalde de Caprese y de Chiusi; quedó huérfano de madre en la infancia, a los seis años, y la soledad dejó en él una huella indeleble de melancolía.

La profunda inclinación al arte que ya desde niño empezó a manifestarse en él, le alejó de los estudios clásicos a que su padre le había destinado, y, a los trece años, ingresó en el taller de Ghirlandaio, de donde pasó más adelante a la «Scuola Libera d'Arte» que entonces dirigía el escultor Bertoldo di Giovanni, discípulo de Donatello.

Tenía quince años cuando la protección de Lorenzo el Magnífico le dió ocasión de conocer a los humanistas de la corte de los Médicis; durante este período realizó la Lam. 21/22 *Virgen de la Escalera* y la *Batalla de los Centauros*. Presintiendo la caída de los Médicis se alejó de Florencia y regresó cuando la República de Savonarola ya se había consolidado. En 1496 se dirigió por primera vez a Roma, donde estuvo cinco años, en los cuales 27/31 73/76 llevó a cabo el *Baco* y la *Piedad* del Vaticano. Vuelto a Florencia alcanzó mayor fama con 6/11 4/5 el *David*, la *Virgen de Brujas* y el medallón de la *Sagrada Familia* que ahora podemos admirar en los Uffizi.

En 1505, una llamada del Papa Julio II de la Róvere le hizo volver a Roma : el Pontífice le encargó la ejecución de su monumento funerario. Pero como más adelante el Papa manifestase desinterés por la obra, Miguel Angel abandonó el trabajo e irritado regresó 12 a Florencia donde realizó el *San Mateo*. Después se dirigió a Bolonia, y allí se reconcilió con Julio II. En 1508 el Papa le encargó que pintase la *Bóveda de la Capilla Sixtina*, y en 63/64 ella trabajó cuatro años. De esta época también son los *Esclavos*, actualmente en el Museo 67/70 del Louvre, y de los años 1515 y 1516, el *Moisés*.

El nuevo Pontífice, León X, de la familia Médicis, hijo de Lorenzo el Magnífico, le encargó la restauración de la fachada de San Lorenzo, en Florencia, pero, habiendo interrumpido esta obra, reanudó en 1519 los trabajos de la tumba de Julio II, hizo el 65 *Cristo resucitado* para «Santa María sopra Minerva» en Roma, y en el año siguiente aceptó el 36/58 encargo de la *Capilla de los Médicis*, y después, de Clemente VII, el de la *Biblioteca Laurenziana*.

En los años después del Saco de Roma las luchas políticas le alejaron del trabajo, que 35 14/17 reanudó en torno a 1530, con la *Victoria* y los *Esclavos*, actualmente en la Academia de Florencia.

En 1532 conoce al noble romano Tomás Cavalieri, cuya amistad le impulsó a establecerse definitivamente en Roma, donde también contrajo amistad con los más ilustres artistas y literatos de la época. Por entonces fué elevado a la dignidad papal Paulo III Farnesio, papa que inició el movimiento de la Contrarreforma. Paulo III, humanista y gran admirador de Miguel Angel, le encarga la obra cumbre de la Capilla Sixtina, el fresco del *Juicio Universal*, que Miguel Angel iniciò a los 61 años, en 1539, y terminó cinco años más tarde. Entretanto su amistad con Victoria Colonna trajo como consecuencia una intensificación de la fe del artista, que dedicó a la noble dama una serie de poesías religiosas.

66/72 Entre 1542 y 1545 termina la *Tumba de Julio II*, que ya se ha convertido en un monumento exclusivamente religioso, y en el mismo período y más tarde, hasta 1550, pinta las paredes de la *Capilla Paulina*, termina el *Palacio Farnesio*, y empieza las obras de restauración del *Capitolio* y la construcción de la Cúpula de *San Pedro*. Sus últimas obras 61/62 son por lo general de arquitectura. La transformación de la *Piedad Rondanini*, cuya primera versión data de 1555, fué el trabajo que ocupó los últimos días de su vida, que terminó a sus 89 años, el 18 de febrero de 1564.

Las reproducciones están colocadas siguiendo el orden alfabético de las Ciudades, Museos, Iglesias y Monumentos en que se encuentran los originales.

BRIEF NOTE ON THE LIFE OF MICHELANGELO

Michelangelo was born in Tuscany, at Caprese, on March 6th, 1475. His father was the « podestà » of Caprese and Chiusi; his mother died when he was only six years old and the solitude of his childhood left in its wake a marked propensity to melancholia.

A strong tendency towards art distracted the youth's mind from the classics for which his father had destined him and, at the age of thirteen, he entered the workshop belonging to Ghirlandaio; from there he went on to the Liberal School of Art, over which presided the sculptor Bertoldo di Giovanni, a pupil of Donatello's.

When he was fifteen, the patronage of Lorenzo the Magnificent put him for the first time into contact with the humanists of the Medici court and it was during this period that he created the *Virgin of the Ladder* and the *Battle of the Centaurs.* (Figs. 21 22) Having understood that the fall of the Medicis was imminent, he decided to leave Florence, where he returned only when the Republic of Savonarola had been established. It was in 1496 that he first visited Rome where he created the *Bacchus* and the *Pietà* and where he remained for five years. (27/31 73/76) Returning finally to Florence, he consolidated his fame with the *David,* the *Virgin of Bruges* (6/11 4/5) and the medallion of the *Holy Family* now in the Uffizi Gallery.

In 1505, Pope Julius II, della Rovere, asked him to come to Rome to design the pope's own mausoleum. However, as later the pontiff showed a lack of interest in the work, Michelangelo gave it up and returned to Florence in a huff. There he painted the *St. Matthew.* (12) Next he visited Bologna and it was there that his reconciliation with Julius II took place. In 1508, the Pope commissioned him to paint the ceiling of the *Sistine Chapel* and he worked at this for the next four years.

Between 1515 and 1516 he produced the *Slaves,* now in the Louvre, and the *Moses.* (63/64 67/70)

The new pope, Leo X, a Medici, son of Lorenzo the Magnificent, entrusted him with the carrying out of the facade of St. Lawrence in Florence. But this, too, was interrupted and in 1519 he resumed work on the tomb of Julius II, painted the *Risen Christ* (65) for Santa Maria sopra Minerva in Rome and in the following year accepted the commission for the *Medici Chapel* (36/58) and then, from Clement VII, a commission for the *Laurenziana Library.*

In the years following the Sack of Rome, political struggles distracted him from his work which he did not take up again until somewhere about 1530 when he sculpted the *Victory* (35) and the *Slaves,* now in the Academy at Florence. (14/17)

The meeting with a Roman noble, Tommaso Cavalieri, which took place in 1532, induced him to establish himself definitely in Rome where he attracted a circle of friends from among the outstanding literary and artistic figures of the time. Then Pope Paul III, Farnese, was elected and during his pontificate the Counter Reform movement started. It was this pope, a humanist and a great admirer of Michelangelo, who commissioned him the great frescoes in the Sistine Chapel, the *Last Judgment,* a work which the artist began at the age of 61 and finished five years later in 1539. In the meanwhile his friendship with Vittoria Colonna had greatly strengthened his faith; and to her he dedicated a cycle of religious poems.

Between the years 1542 and 1545 he finished the *Tomb of Julius II,* (66/72) which had by this time become a solely religious monument and during the same period and up to 1550, he painted the two walls of the *Pauline Chapel,* completed the *Farnese Palace,* began the designing of the *Capitol* and the plans for the cupola of *St. Peter's.* His final works were predominantly in the architectural field. Transformations in the *Rondanini Pietà,* (61/62) the original version of which was executed in 1555, occupied the last days of his long life which drew to a close on February 18th., 1564 at the age of 89.

The reproductions are printed in alphabetical order first of the Cities and second of the Museums, Churches and Monuments in which the originals are to be found.

ANGABEN ÜBER DAS LEBEN MICHELANGELOS

Michelangelo wurde am 6 März 1475 zu Caprese in Toskana geboren. Sein Vater war Bürgermeister von Caprese und von Chiusi; die Mutter starb, als das Kind 6 Jahre alt war, und infolge seiner Einsamkeit spürt man bei ihm, sein ganzes Leben lang, eine gewisse Melancholie.

Die ausgesprochen künstlerische Neigung lenkte den Knaben von den klassischen Studien ab, zu denen ihn der Vater bestimmt hatte, und mit 13 Jahren trat er in die « Bottega » von Ghirlandaio ein. Von dort ging er auf die freie Kunstschule, die von dem Bildhauer Bertoldo di Giovanni, einem Schüler Donatellos geleitet wurde.

Die Protektion von Lorenzo dem Prächtigen verschaffte dem erst Fünfzehnjährigen die ersten Begegnungen mit den Humanisten am Mediceerhofe; und in dieser Zeit führte Abb. 21 22 er die *Jungfrau von der Treppe* (Vergine della Scala) und die *Zentaurenschlacht* aus. Da er den Fall der Mediceer voraussah, entfernte er sich aus Florenz und kehrte erst wieder dorthin zurück, als die Republik von Savonarola festen Fuss gefasst hatte. Im Jahre 1496 begab er 27/31 sich zum ersten Mal nach Rom, wo er sich fünf Jahre lang aufhielt, in denen er den *Bacchus* 73/76 und die Vatikanische *Pietà* schuf. Nach Florenz zurückgekehrt behauptete sich sein Ruhm 6/11 4/5 mit dem *David*, der *Jungfrau von Bruges* und mit dem Tondo der *Heiligen Familie*, das sich jetzt in den Uffizien befindet.

Im Jahre 1505 berief ihn Papst Julius II. della Rovere nach Rom, um von ihm sein Grabmal ausführen zu lassen. Nachdem jedoch der Papst in der Folge kein weiteres Interesse an dem Werk zeigte, liess Michelangelo die Arbeit stehen und kehrte verärgert nach 12 Florenz zurück. Hier schuf er den *Heiligen Matthäus*. Danach begab er sich nach Bologna, wo die Aussöhnung mit Julius II. stattfand. Im Jahre 1508 beauftragte ihn der Papst, *die Decke der Sixtinischen Kapelle* auszuschmücken, an der er dann vier Jahre lang ar- 63/64 beitete. Er schuf die *Sklaven*, die sich jetzt im Louvre befinden und zwischen 1515 und 1516 67/70 den *Moses*.

Der neue Papst, Leo X, aus dem Mediceerhaus, Sohn von Lorenzo dem Prächtigen, vertraute ihm die Fertigstellung der Façade von St. Lorenz in Florenz an; aber nachdem er auch dieses Werk unterbrochen hatte, nahm er 1519 die Arbeiten für das Grabmal Julius II. 65 wieder auf und führte den *Wiederauferstandenen Christus* für die Kirche Santa Maria sopra 36/58 Minerva in Rom aus. Im folgenden Jahre nahm er den Auftrag für die *Mediceerkapelle* an und darauf den von Clemens VII. für die *Laurentinische Bibliothek*.

In den Jahren, die der Plünderung Roms folgten, lenkten ihn die politischen Kämpfe 35 14/17 von der Arbeit ab, die er um 1530 mit dem *Sieg* und den *Sklaven* unvollendet zur Zeit in der Akademie zu Florenz — wieder aufnahm.

Im Jahre 1532 traf er mit dem römischen Edelmann Tommaso Cavalieri zusammen, und dies bewog ihn dazu, sich endgültig in Rom niederzulassen, wo er mit den berühmtesten zeitgenössischen Künstlern und Schriftstellern befreundet war. Paul II. aus dem Haus Farnese wird zum Papst erwählt, und unter dessen Herrschaft beginnt die Gegenreformation. Dieser Papst, Humanist und grosser Bewunderer Michelangelos, ist es, der ihm das bedeutendste Fresko der Sixtinischen Kapelle in Auftrag gibt : *das Jüngste Gericht*, das Werk, das Michelangelo im Jahre 1539 mit 61 Jahren begann und fünf Jahre später beendete. Inzwischen trägt die Freundschaft mit Vittoria Colonna dazu bei, in dem Künstler den Glauben zu stärken, und er widmete ihr eine Reihe religiöser Gedichte.

66/72 In den Jahren 1542-1545 beendete er das *Grabmal Julius II.*, das ein ausschliesslich religiöses Denkmal wurde. In der gleichen Zeit, und darüber hinaus bis 1550 malt er die beiden Wände der *Paulinischen Kapelle*, stellt den Farnese-Palast fertig, beginnt eine Vollendung des *Kapitols* und den Bau der Kuppel der *Peterskirche*. Seine letzten Werke ge- 61/62 hören meist der Bildhauerkunst an. Die Umwandlung der *Pietà Rondanini*, deren erste Ausführung auf das Jahr 1555 zurückgeht, war die Arbeit der letzten Tage seines Lebens, das er am 18. Februar 1564 im Alter von 89 Jahren beschloss.

Die Tafeln sind alphabethisch nach dem jeweiligen Aufbewahrungsort der Werke angeordnet.

1 *Bologna, San Domenico*

Tombeau de s. Dominique. Ange agenouillé.

El Angel arrodillado del Sepulcro de Santo Domingo.

Tomb of St. Dominic. Kneeling Angel.

Kniender Engel vom Grabmal des Hl. Dominikus.

2 *Bologna, San Domenico*

Tombeau de s. Dominique. Saint Pétronius.

San Petronio del Sepulcro de Santo Domingo.

Tomb of St. Dominic. Saint Petronius.

Der Hl. Petronius vom Grabmal des Hl. Dominikus.

3

Bologna, San Domenico

Tombeau de s. Dominique. Saint Procole.

San Procolo del Sepulcro de Santo Domingo.

Tomb of St. Dominic. Saint Proculus.

Der Hl. Prokulus vom Grabmal des Hl. Dominikus.

4 *Bruges, Notre-Dame*

La Vierge de Bruges.
La Virgen de Brujas.

The Virgin of Bruges.
Die Madonna von Brügge.

5

Bruges, Notre-Dame

Vierge de Bruges. Détail.
La Virgen de Brujas. Detalle: la cabeza de la Virgen vista de frente.

The Virgin of Bruges. Detail: the head front view.
Die Madonna von Brügge. Detail: der Kopf der Madonna, en face.

6 *Firenze, Accademia delle Belle Arti*

David.
David.

David.
David.

7

Firenze, Accademia delle Belle Arti

David. Détail: la tête, de profil.
David. Detalle: la cabeza de perfil.

David. Detail: the head, profile.
David. Detail: der Kopf im Profil.

8 *Firenze, Accademia delle Belle Arti*

David. Détail: la tête, de face.
David. Detalle: la cabeza vista de frente.

David. Detail: the head, front view.
David. Detail: der Kopf en face.

9 *Firenze, Accademia delle Belle Arti*

David. Détail: le torse.
David. Detalle: el tronco.

David. Detail: the torso.
David. Detail: der Rumpf.

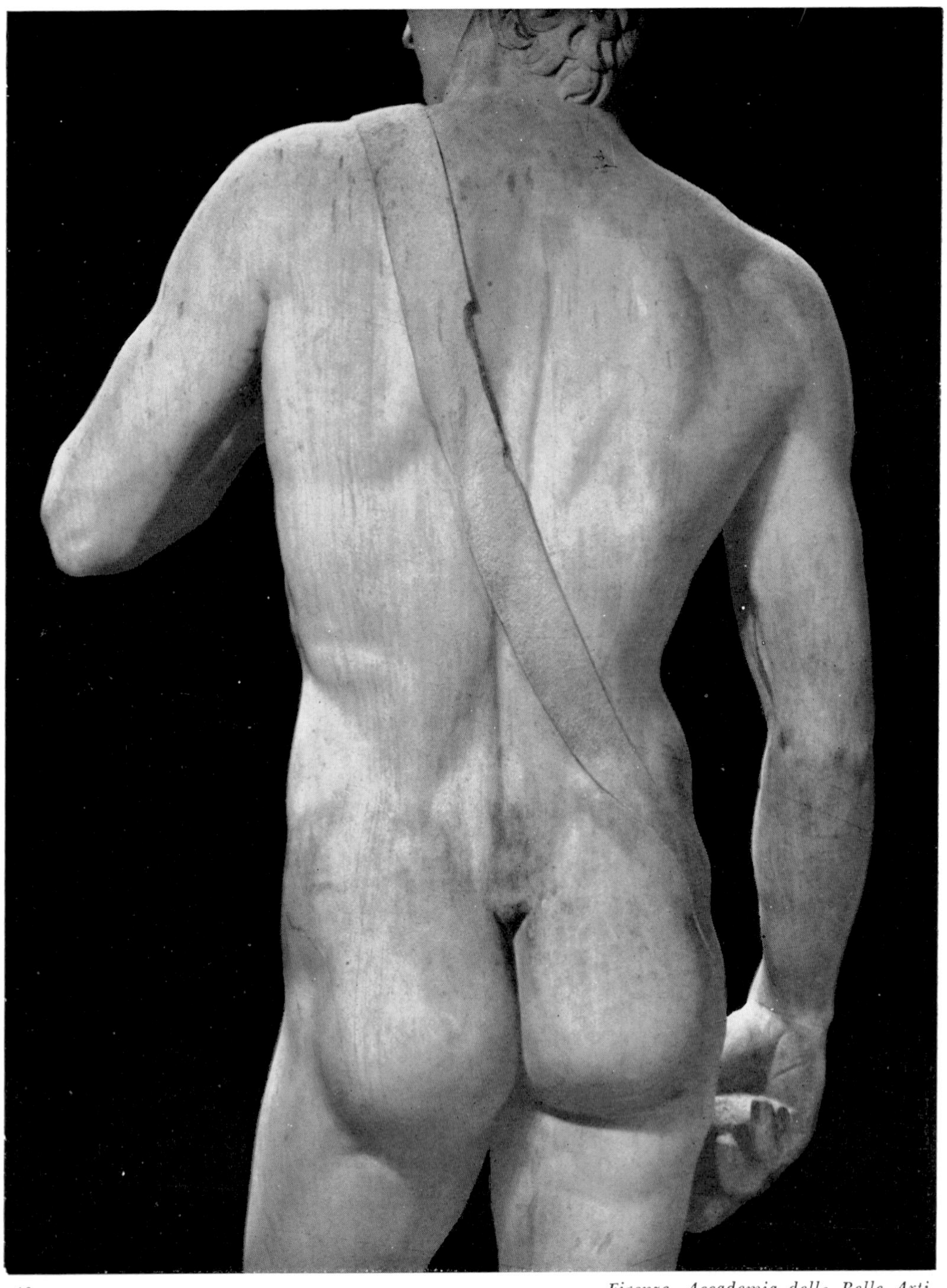

10 *Firenze, Accademia delle Belle Arti*

David. Détail: le dos.
David. Detalle: el dorso.
David. Detail: the back.
David. Detail: der Rücken.

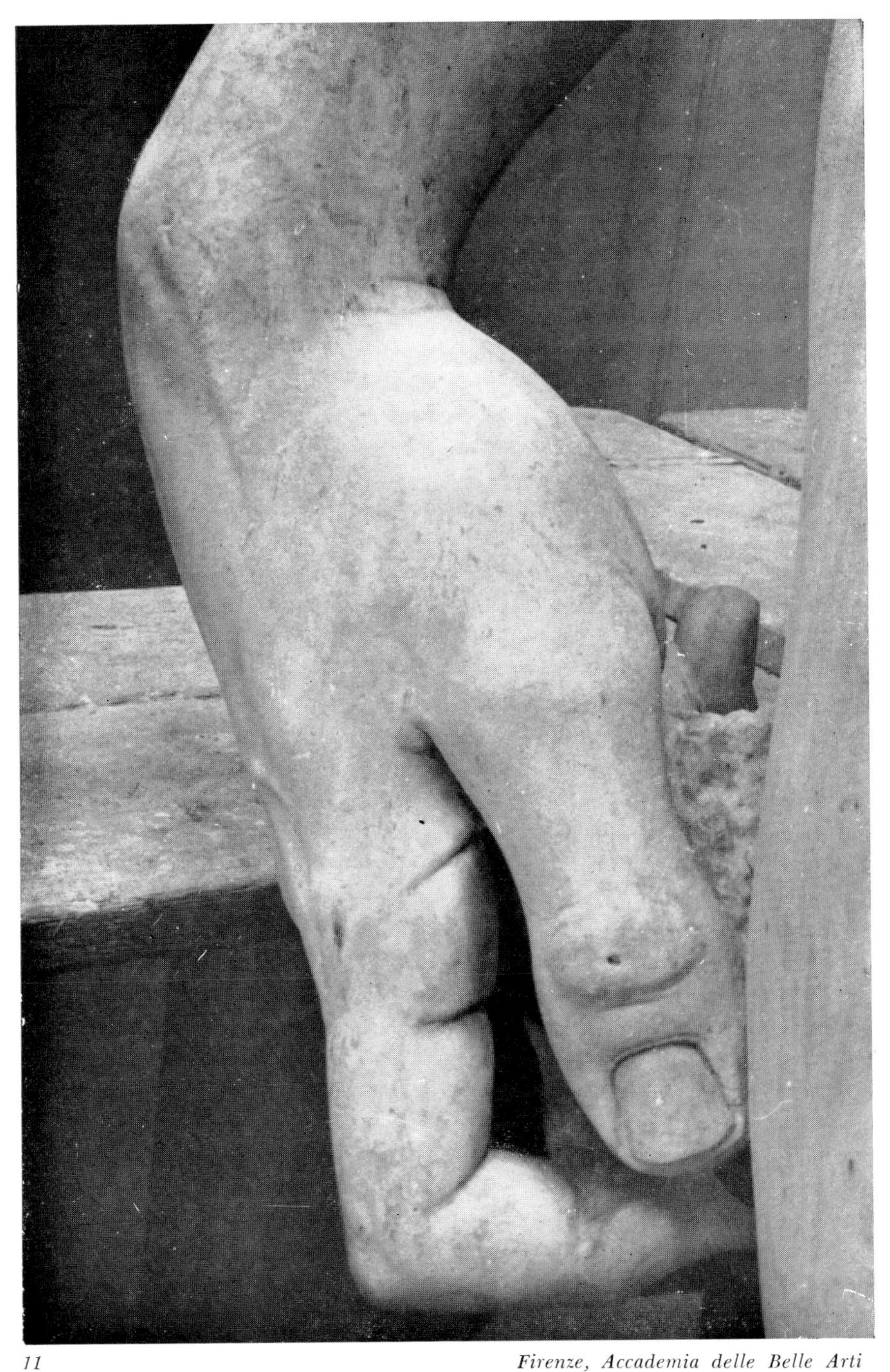

11 *Firenze, Accademia delle Belle Arti*

David. Détail: la main droite.
David. Detalle: la mano derecha.
David. Detail: the right hand.
David. Detail: die rechte Hand.

12 *Firenze, Accademia delle Belle Arti*

Saint Mathieu.
S. Mateo.

Saint Matthew.
Der Hl. Matthäus.

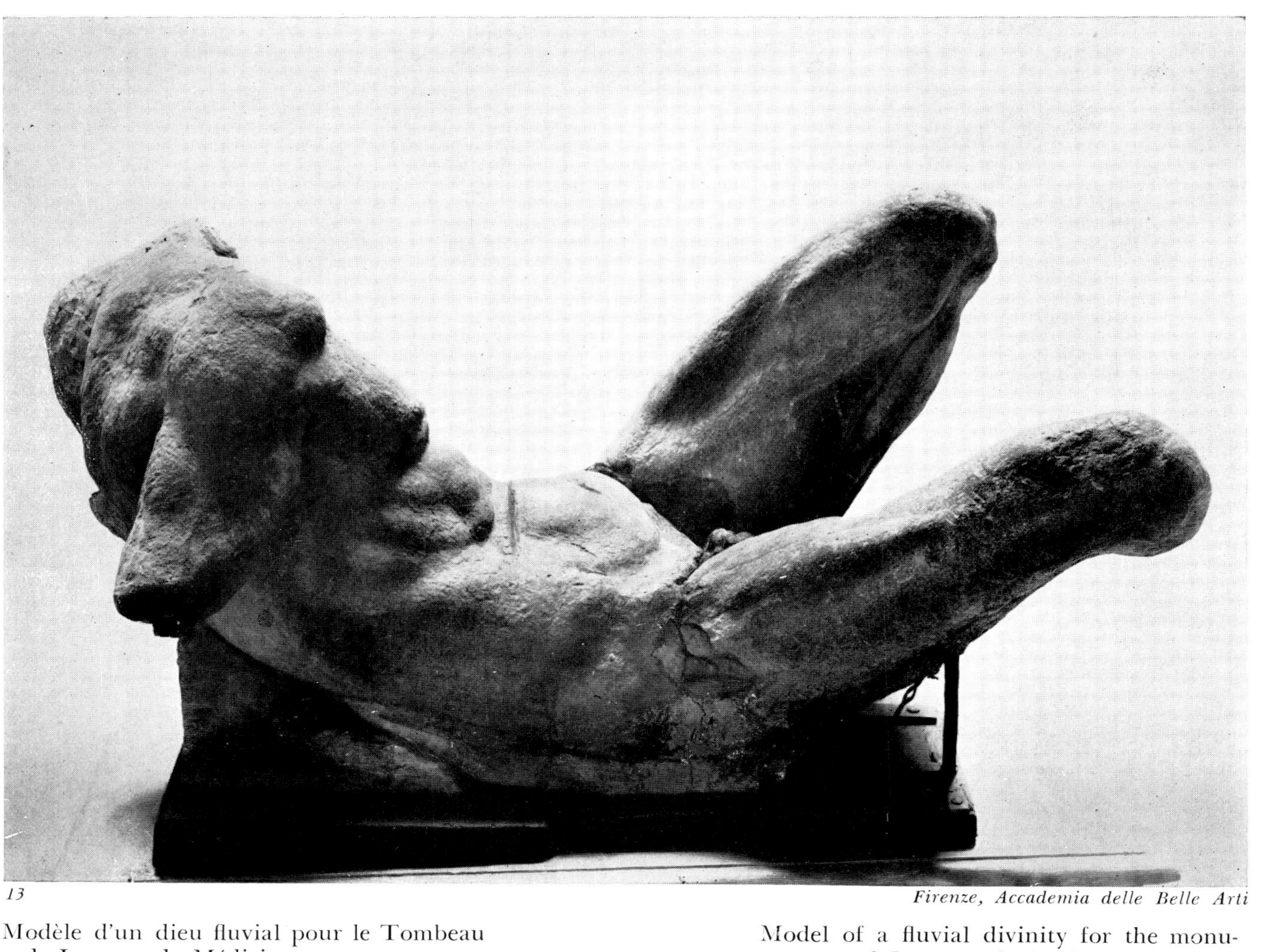

13 *Firenze, Accademia delle Belle Arti*

Modèle d'un dieu fluvial pour le Tombeau de Laurent de Médicis.
Modelo de un dios fluvial para el Sepulcro de Lorenzo de Medici.

Model of a fluvial divinity for the monument of Lorenzo de Medici.
Modell eines Flussgottes für das Grabmal Lorenzo de' Medicis.

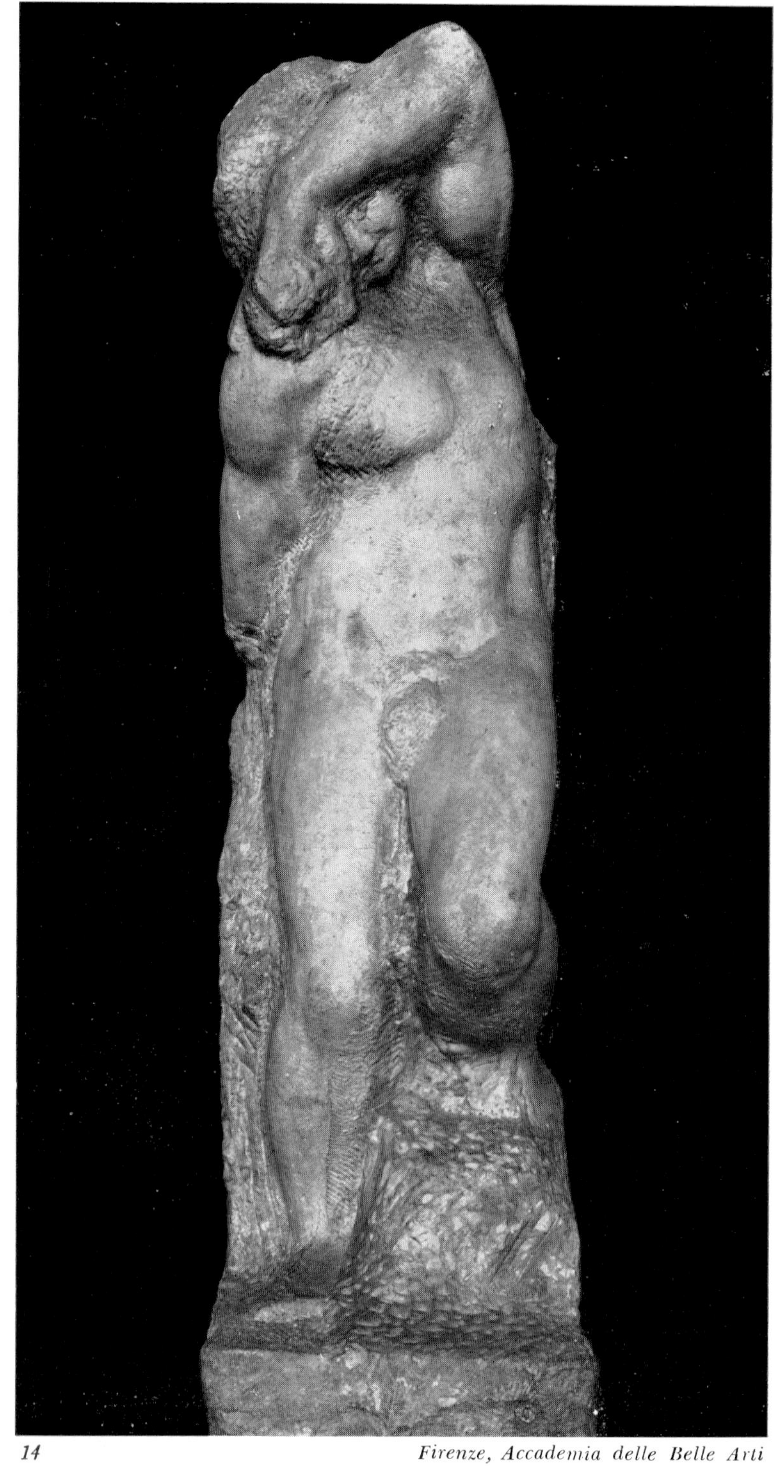

14 *Firenze, Accademia delle Belle Arti*

Le Jeune Esclave.
El Joven Esclavo.
The Young Slave.
Der Junge Sklave.

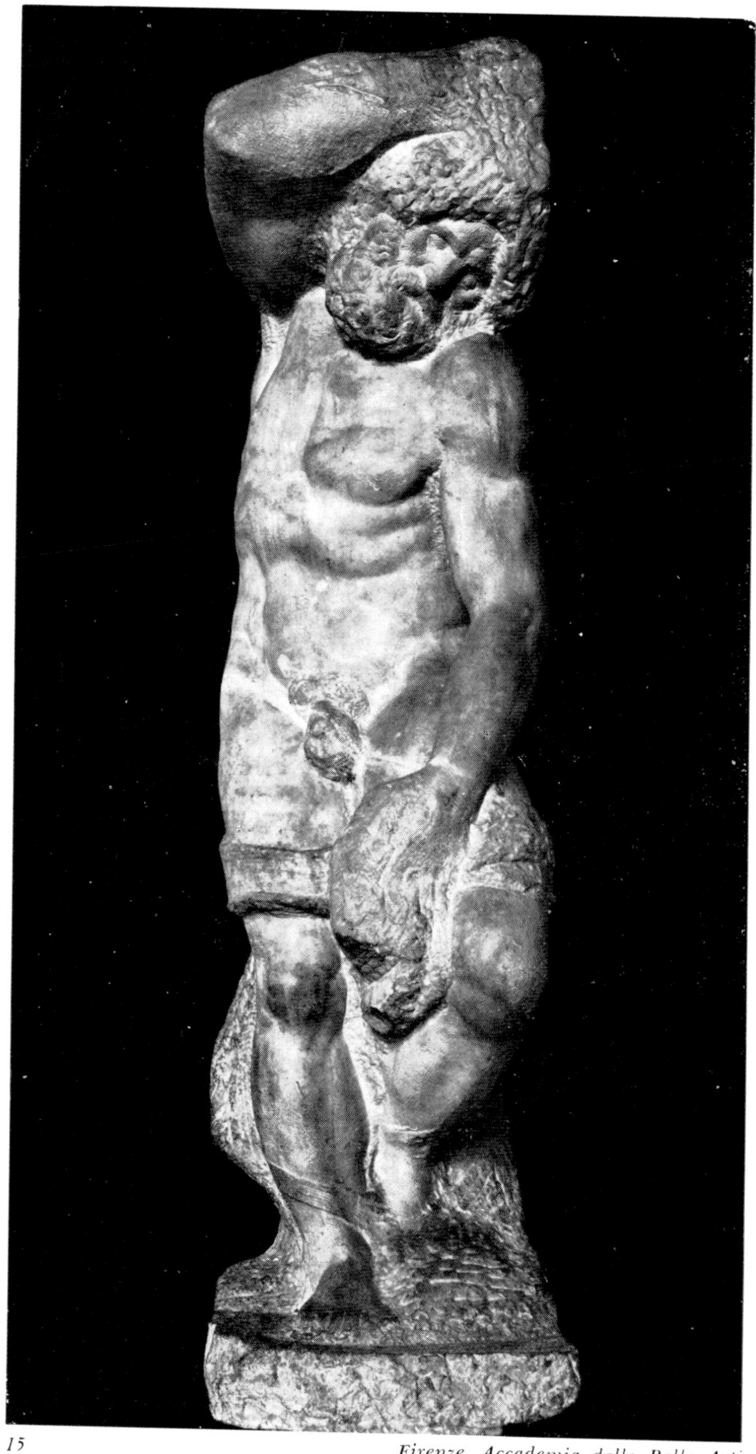

15

Firenze, Accademia delle Belle Arti

L'Esclave Barbu.
El Esclavo Barbudo.

The Bearded Slave.
Der Bärtige Sklave.

16 *Firenze, Accademia delle Belle Arti*

L'Esclave s'éveillant.
Esclavo despertándose.

The Slave getting up.
Erwachender Sklave.

17 *Firenze, Accademia delle Belle Arti*

L'Esclave dit Atlas.
El Esclavo llamado Atlante.

The Slave called Atlas.
Der Sklave namens Atlas.

18 *Firenze, Accademia delle Belle Arti*

Pietà dite « Pietà de Palestrina ».
La Piedad llamada « Piedad de Palestrina ».

Pietà called « Pietà of Palestrina ».
La Pietà, die sogenannte Pietà von Palestrina.

19 *Firenze, Accademia delle Belle Arti*

Pietà de Palestrina. Détail.
La Piedad de Palestrina. Detalle: las cabezas de la Virgen y del Cristo.

Pietà of Palestrina. Detail: the heads of the Virgin and of the Christ.
Die Pietà von Palestrina. Detail: die Köpfe Mariä und Christi.

20 *Firenze, Accademia delle Belle Arti*

Pietà de Palestrina. Détail.
La Piedad de Palestrina. Detalle.
Pietà of Palestrina. Detail.
Die Pietà von Palestrina. Detail.

21 *Firenze, Casa Buonarroti*

La Vierge à l'Escalier.
La Virgen de la Escalera.

The Virgin of the Ladder.
Die Madonna auf der Treppe.

22 *Firenze, Casa Buonarroti*

Le Combat des Centaures.
La Batalla de los Centauros.

The Battle of the Centaurs.
Die Zentaurenschlacht.

23

Firenze, Casa Buonarroti

Hercule et Cacus. Terrecuite.
Hércules y Caco. Terracotta.

Hercules and Cacus. Terracotta.
Herkules und Kakus. Terrakotta.

24

Firenze, Duomo

Déposition, dite « la Pietà ».
El Descendimiento, llamado « la Piedad ».

The taking down from the Cross, called « Pietà ».
Pietà, Kreuzabnahme.

25 *Firenze, Duomo*

Pietà, vue de dos.
La Piedad, vista de dorso.

Pietà, back view.
Pietà, Rückenansicht.

26 *Firenze, Duomo*

Pietà. Détail: la tête de Nicodème, de profil.

La Piedad. Detalle: la cabeza de Nicodemus, vista de perfil.

Pietà. Detail: the head of Nicodemus, profile.

Pietà. Detail: der Kopf des Nikodemus im Profil.

27 *Firenze, Museo Nazionale*

Bacchus.
Baco.

Bacchus.
Bacchus.

28

Firenze, Museo Nazionale

Bacchus. Vu de profil.
Baco. Visto de perfil.

Bacchus. Profile.
Bacchus. Profilansicht.

29

Firenze, Museo Nazionale

Bacchus. Détail.
Baco. Detalle: visto de espalda.

Bacchus. Detail: the back.
Bacchus. Detail: vom Rücken gesehen.

30 *Firenze, Museo Nazionale*

Bacchus. Détail: la tête.
Baco. Detalle: la cabeza.

Bacchus. Detail: the head.
Bacchus. Detail: der Kopf.

31

Firenze, Museo Nazionale

Bacchus. Détail: la tête du satyre.

Baco. Detalle: la cabeza del sátiro.

Bacchus. Detail: the head of the satyr.

Bacchus. Detail: der Kopf des Satyrs.

32 *Firenze, Museo Nazionale*

La Vierge de Bartolommeo Pitti.
La Virgen de Bartolommeo Pitti.
The Virgin of Bartolommeo Pitti.
Die Madonna des Bartolommeo Pitti.

33

Firenze, Museo Nazionale

Brutus.
Bruto.

Brutus.
Brutus.

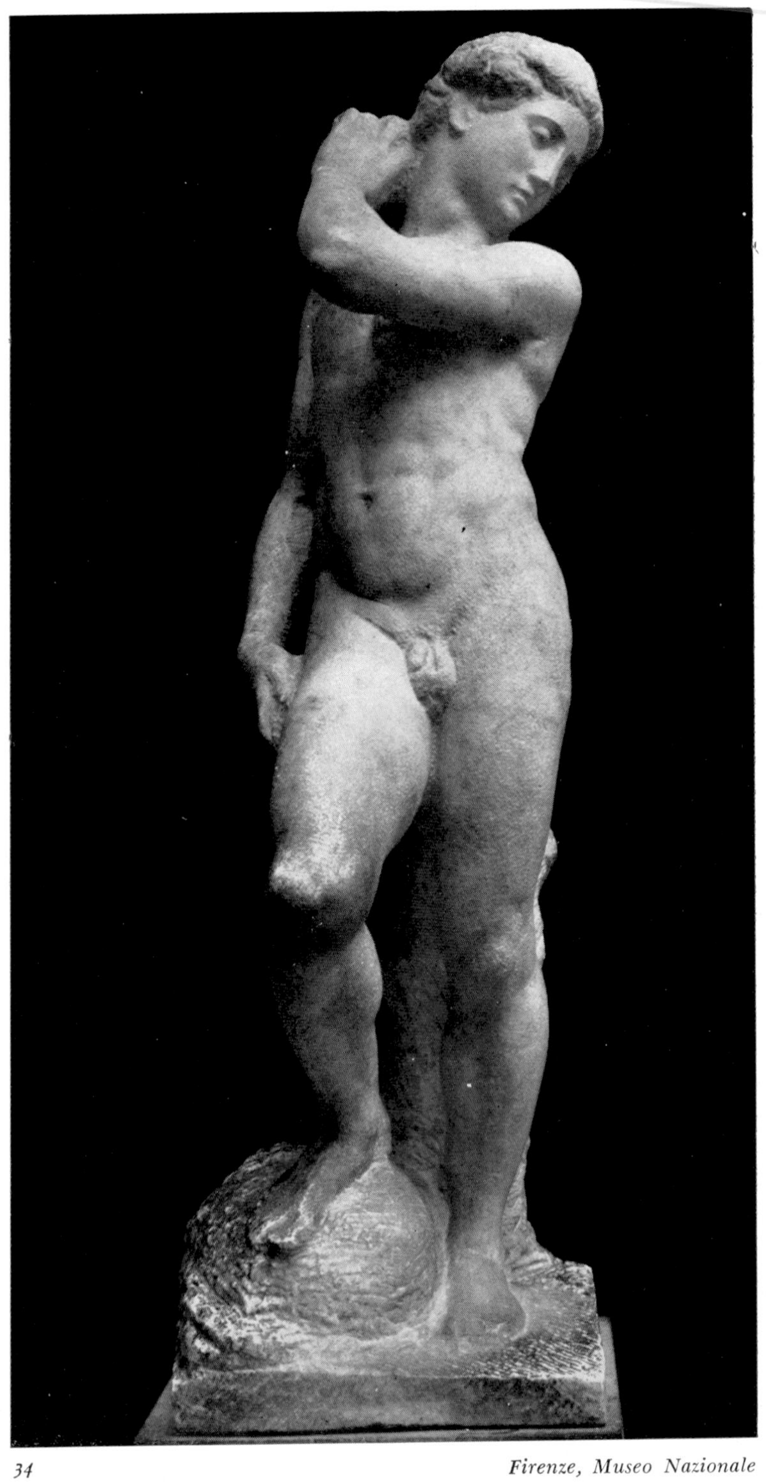

34 *Firenze, Museo Nazionale*

David-Apollon.
David-Apolo.

David-Apollo.
David-Apollo.

35

Firenze, Palazzo della Signoria

La « Victoire » pour le Tombeau de Jules II.
La « Victoria » para el Sepulcro de Julio II.

The « Victory » for the Monument of Pope Julius II.
Der « Sieg », für das Grabmal Julius II. bestimmt.

36 *Firenze, San Lorenzo*

Chapelle des Médicis, intérieur: la paroi avec le Tombeau de Laurent de Médicis.
Capilla de los Medici, interior: la pared

Medici Chapel, interior: the wall with the Monument of Lorenzo de Medici.
Medici-Kapelle. Inneres: die Wand mit

37

Firenze, San Lorenzo

Chapelle des Médicis, intérieur: la paroi avec le Tombeau de Julien de Médicis.
Capilla de los Medici, interior: la pared con el Sepulcro de Juliano de Medici.

Medici Chapel, interior: the wall with the Monument of Giuliano de Medici.
Medici-Kapelle. Inneres: die Wand mit dem Grabmal Giuliano de' Medicis.

38 — *Firenze, San Lorenzo, Cappella Medici*

Tombeau de Laurent de Médicis. « L'Aurore ».

« La Aurora » del Sepulcro de Lorenzo de

Monument of Lorenzo de Medici. The figure of « the Dawn ».

« Die Morgenröte » vom Grabmal Lorenzo

39

Firenze, San Lorenzo, Cappella Medici

Tombeau de Laurent de Médicis. « Le Crépuscule ».

« El Crepúsculo » del Sepulcro de Lorenzo de Medici.

Monument of Lorenzo de Medici. The figure of « the Twilight ».

« Der Abend » vom Grabmal Lorenzo de' Medicis.

40 — *Firenze, San Lorenzo, Cappella Medici*

Tombeau de Julien de Médicis. « La Nuit ».

« La Noche » del Sepulcro de Juliano de

Monument of Giuliano de Medici. The figure of « the Night ».

« Die Nacht » vom Grabmal Giuliano de'

41

Firenze, San Lorenzo, Cappella Medici

Tombeau de Julien de Médicis. « Le Jour ».
« El Dia » del Sepulcro de Juliano de Medici.

Monument of Giuliano de Medici. The figure of « the Day ».
« Der Tag » vom Grabmal Giuliano de' Medicis.

42 *Firenze, San Lorenzo, Cappella Medici*

« L'Aurore » vue de dos.
« La Aurora » vista de espalda.

« The Dawn », back view.
« Die Morgenröte », Rückenansicht.

43 *Firenze, San Lorenzo, Cappella Medici*

« Le Crépuscule » vu de dos.
« El Crepúsculo » visto de espalda.

« The Twilight », back view.
« Der Abend », Rückenansicht.

44 *Firenze, San Lorenzo, Cappella Medici*

« Le Crépuscule » vu de trois-quarts.

« El Crepúsculo » visto del lado estrecho.

« The Twilight », seen from the narrow side.

« Der Abend », Seitenansicht.

45 *Firenze, San Lorenzo, Cappella Medici*

« L'Aurore » vue de trois-quarts.

« La Aurora » vista del lado estrecho.

« The Dawn », seen from the narrow side.

« Die Morgenröte », Seitenansicht.

46 *Firenze, San Lorenzo, Cappella Medici*

« La Nuit » vue de côté.

« La Noche » vista del lado estrecho.

« The Night », seen from the narrow side.

« Die Nacht », Seitenansicht.

47 *Firenze, San Lorenzo, Cappella Medici*

« Le Jour », vu de trois-quarts.

« El Dia » visto del lado estrecho.

« The Day » seen from the narrow side.

« Der Tag », Seitenansicht.

48 *Firenze, San Lorenzo, Cappella Medici*

Laurent de Médicis.
Lorenzo de Medici.

Lorenzo de Medici.
Lorenzo de' Medici.

49

Firenze, San Lorenzo, Cappella Medici

Julien de Médicis.
Juliano de Medici.

Giuliano de Medici.
Giuliano de' Medici.

50

Firenze, San Lorenzo, Cappella Medici

Laurent de Médicis, vu de dos.

Lorenzo de Medici, visto de espalda.

Lorenzo de Medici, back view.

Lorenzo de' Medici, Rückenansicht.

51

Firenze, San Lorenzo, Cappella Medici

Julien de Médicis, vu de dos.

Juliano de Medici, visto de espalda.

Giuliano de Medici, back view.

Giuliano de' Medici Rückenansicht.

52 *Firenze, San Lorenzo, Cappella Medici*

Laurent de Médicis. Détail: la tête, de profil.
Lorenzo de Medici. Detalle: la cabeza de perfil.

Lorenzo de Medici. Detail: the head, profile.
Lorenzo de' Medici. Detail: der Kopf im Profil.

53

Firenze, San Lorenzo, Cappella Medici

Julien de Médicis. Détail: la tête, de face.

Juliano de Medici. Detalle: la cabeza vista de frente.

Giuliano de Medici. Detail: the head, front view.

Giuliano de' Medici. Detail: der Kopf en face.

54 *Firenze, San Lorenzo, Cappella Medici*

Laurent de Médicis. Détail: la tête vue de derrière.

Lorenzo de Medici. Detalle: la cabeza vista por detrás.

Lorenzo de Medici. Detail: the head, back view.

Lorenzo de' Medici. Detail: der Kopf, von hinten.

55

Firenze, San Lorenzo, Cappella Medici

Julien de Médicis. Détail: la tête vue de derrière.

Juliano de Medici. Detalle: la cabeza vista por detrás.

Giuliano de Medici. Detail: the head, back view.

Giuliano de' Medici. Detail: der Kopf, von hinten.

56 *Firenze, San Lorenzo, Cappella Medici*

La Vierge des Médicis.
La Virgen de Medici.

The Medici Virgin.
Die Madonna Medici.

57 *Firenze, San Lorenzo, Cappella Medici*

La Vierge des Médicis. Détail: la tête, de face.

La Virgen de Medici. Detalle: la cabeza vista de frente.

The Medici Virgin. Detail: the head, front view.

Die Madonna Medici. Detail: der Kopf en face.

58

Firenze, San Lorenzo, Cappella Medici

La Vierge des Médicis. Détail: la tête, de profil.

La Virgen de Medici. Detalle: la cabeza vista de perfil.

The Medici Virgin. Detail: the head, profile.

Die Madonna Medici. Detail: der Kopf im Profil.

59 *Leningrado, Ermitage*

Adolescent accroupi, de profil.
Adolescente acurrucado, visto de perfil.

Squatting boy, profile.
Kauernder Knabe, Profilansicht.

60 *Londra, Royal Academy*

La Vierge de Taddeo Taddei.
La Virgen de Taddeo Taddei.
The Virgin of Taddeo Taddei.
Die Madonna des Taddeo Taddei.

61 *Milano, Castello Sforzesco*

Pietà dite « Pietà Rondanini ».
La Piedad llamada « La Piedad Rondanini ».

Pietà called « Pietà Rondanini ».
Pietà Rondanini.

62 — *Milano, Castello Sforzesco*

Pietà Rondanini. Détail: les têtes de la Vierge et du Christ.
La Piedad Rondanini. Detalle: las cabezas de la Virgen y del Cristo.

Pietà Rondanini. Detail: the heads of the Virgin and of the Christ.
Pietà Rondanini. Detail: die Köpfe Mariä und Christi.

63 *Parigi, Louvre*

Tombeau de Jules II. L'esclave mourant.
El esclavo agonizante del Sepulcro de Julio II.

Monument of Pope Julius II. The dying slave.
Der sterbende Sklave vom Grabmal Julius II.

64 *Parigi, Louvre*

Tombeau de Jules II. L'esclave rebelle.
El esclavo rebelde del Sepulcro de Julio II.

Monument of Pope Julius II. The rebel Slave.
Der rebellische Sklave vom Grabmal Julius II.

65 *Roma, Santa Maria sopra Minerva*

Le Christ ressuscité.
El Cristo resucitado.

The Christ resurrected.
Der auferstandene Christus.

66 *Roma, San Pietro in Vincoli*

Tombeau de Jules II.
El Sepulcro de Julio II.

Monument of Pope Julius II.
Das Grabmal Julius II.

67

Roma, San Pietro in Vincoli

Tombeau de Jules II: Moïse.

Moisés del Sepulcro de Julio II.

Monument of Pope Julius II: Moses.

Moses vom Grabmal Julius II.

68 — *Roma, San Pietro in Vincoli*

Tombeau de Jules II. Moïse. Détail: profil.

Moisés del Sepulcro de Julio II. Detalle: perfil.

Monument of Pope Julius II. Moses. Detail: profile.

Moses vom Grabmal Julius II. Detail: Profil.

69 *Roma, San Pietro in Vincoli*

Tombeau de Jules II. Moïse. Détail: la tête.

Moisés del Sepulcro de Julio II. Detalle: la cabeza.

Monument of Pope Julius II. Moses. Detail: the head.

Moses vom Grabmal Julius II. Detail: der Kopf.

70 *Roma, San Pietro in Vincoli*

Tombeau de Jules II. Moïse. Détail: le genou droit.

Moisés del Sepulcro de Julio II. Detalle: la rodilla derecha.

Monument of Pope Julius II. Moses. Detail: the right knee.

Moses vom Grabmal Julius II. Detail: das rechte Knie.

71

Roma, San Pietro in Vincoli

Tombeau de Jules II. Rachel.

Raquel del Sepulcro de Julio II.

Monument of Pope Julius II. Rachel.

Rahel vom Grabmal Julius II.

72 *Roma, San Pietro in Vincoli*

Tombeau de Jules II. Léa.

Monument of Pope Julius II. Leah.

Lia del Sepulcro de Julio II.

Lea vom Grabmal Julius II.

73 *Vaticano, San Pietro*

Pietà.
La Piedad.

Pietà.
Pietà.

71 *Vaticano, San Pietro*

Pietà. Détail: la tête du Christ.
La Piedad. Detalle: la cabeza del Cristo.

Pietà. Detail: the head of Christ.
Pietà. Detail: der Kopf Christi.

75

Vaticano, San Pietro

Pietà. Détail: la tête de la Vierge, de face.

La Piedad. Detalle: la cabeza de la Virgen vista de frente.

Pietà. Detail: the head of the Virgin, front view.

Pietà. Detail: der Kopf der Madonna en face.

76

Vaticano, San Pietro

Pietà. Détail: la tête de la Vierge, de profil.

La Piedad. Detalle: la cabeza de la Virgen de perfil.

Pietà. Detail: the head of the Virgin, profile.

Pietà. Detail: der Kopf der Madonna. Profilansicht.

77 *Siena, Duomo*

Autel Piccolomini. Saint Paul.

San Pablo del altar Piccolomini.

The Piccolomini altar. Saint Paul.

Der Hl. Paulus vom Piccolomini-Altar.

78

Siena, Duomo

Autel Piccolomini. Saint Pierre. Détail: la tête.
San Pedro del altar Piccolomini. Detalle: la cabeza.

The Piccolomini altar. Saint Peter. Detail: the head.
Der Hl. Petrus vom Piccolomini-Altar. Detail: der Kopf.

79

Siena, Duomo

Autel Piccolomini. Saint Grégoire. Détail: la tête.
San Gregorio del altar Piccolomini. Detalle: la cabeza.

The Piccolomini altar. Saint Gregory. Detail: the head.
Der Hl. Gregor vom Piccolomini-Altar. Detail: der Kopf.